D1650715

ACC. No: 01992802

pigion 2000

Blas ar y sgrifennu gorau yn y Gymraeg

1. WALDO - *Un funud fach*
2. Y MABINOGION - *Hud yr hen chwedlau Celtaidd*
3. GWYN THOMAS - *Pasio heibio*
4. PARSEL NADOLIG - *Dewis o bytiau difyr*
5. DANIEL OWEN - *'Nid i'r doeth a'r deallus . . . '*
6. EIGRA LEWIS ROBERTS - *Rhoi'r byd yn ei le*
7. DIC JONES - *Awr miwsig ar y meysydd*
8. GWLAD! GWLAD! - *Pytiau difyr am Gymru*
9. CYNAN - *'Adlais o'r hen wrthryfel'*
10. ISLWYN FFOWC ELIS - *'Lleoedd fel Lleifior'*
11. KATE ROBERTS - *Straeon y Lôn Wen*
12. DEG MARC! - *Pigion Ymrysonau'r Babell Lên 1979-1998*
13. T.H. PARRY-WILLIAMS - *'Hanner yn hanner'*
14. LIMRIGAU - *'Ro'dd cadno yn ardal y Bala . . . '*
15. T. GWYNN JONES - *'Breuddwydion beirdd'*
16. O.M. EDWARDS - *'I godi'r hen wlad yn ei hôl'*
17. SAUNDERS LEWIS - *'Sefwch gyda mi'*
18. D.J. WILLIAMS - *'Hanes gwych ei filltir sgwâr'*
19. R. WILLIAMS PARRY - *'Rhyfeddod prin'*
20. GEIRIAU'N CHWERTHIN - *Casgliad o ryddiaith ysgafn*

Golygydd y gyfres: Tegwyn Jones
Cyhoeddwyr: Gwasg Carreg Gwalch
Pris: £1.99 yr un

pigion 2000

R. Williams Parry

'Rhyfeddod prin'

Golygydd y gyfres:
Tegwyn Jones

Argraffiad cyntaf: Gŵyl Ddewi 2000

Rhif Llyfr Safonol Rhyngwladol:
0-86381-518-9

Cyhoeddir o dan gynllun comisiwn Cyngor Llyfrau Cymru.
Cynllun y clawr: Adran Ddylunio'r Cyngor Llyfrau.

Argraffwyd a chyhoeddwyd gan Wasg Carreg Gwalch,
12 Iard yr Orsaf, Llanrwst, Dyffryn Conwy.
Ffôn: 01492 642031
Ffacs: 01492 641502
e-bost: llyfrau@carreg-gwalch.co.uk
lle ar y we: www.carreg-gwalch.co.uk

Dymunir diolch i Wasg Gee am eu cydweithrediad wrth gynhyrchu'r gyfrol hon ac am eu caniatâd caredig i gynnwys deunydd a gyhoeddwyd yn gyntaf ganddynt hwy.

Cynnwys

Cyflwyniad

Pan fu farw Robert Williams Parry yn 1956, honnodd ei gefnder, T.H. Parry-Williams mewn ysgrif goffa (gweler cyfrol Rhif 13, tt. 79-83 yn y gyfres hon), fod 'rhyw hanfod elfennaidd nad yw'n trigo yn un o feibion dynion ond unwaith bob cwrs hir iawn o flynyddoedd' wedi ei cholli o'n plith. 'Y mae megis rhyw ddoethineb ddwyfol neu ddewinol,' meddai, 'sy'n disgyn yn ddiferion prin i enaid ambell un yn awr ac yn y man, a Duw'n unig a ŵyr pwy fydd yr ambell un ffodus – neu anffodus. Yn hollol annisgwyliadwy fe ddaeth hyn i ran Robert Williams Parry.' Detholiad sydd yma o waith y bardd mawr hwn, un o feirdd mwyaf Cymru mewn unrhyw gyfnod, wedi eu codi o'r ddwy gyfrol o gerddi a gyhoeddodd, *Yr Haf a Cherddi Eraill* (1924) a *Cherddi'r Gaeaf* (1952), ynghyd ag ychydig hefyd o'r gyfrol *Cerddi R. Williams Parry Y Casgliad Cyflawn* (1998), un arall o gymwynasau mawr Alan Llwyd â darllenwyr Cymraeg.

Ganed R. Williams Parry yn 1884 yn Nhal-y-sarn, Dyffryn Nantlle, a bu'n ddisgybl yn yr ysgol gynradd leol, yn Ysgol Sir Caernarfon ac Ysgol Sir Pen-y-groes. Treuliodd ddwy flynedd yng Ngholeg Aberystwyth, a gadael yno heb raddio yn 1904. 'Llwyddo yn arholiadau'r flwyddyn gyntaf ym mhopeth ond Cymraeg,' meddai yn y bywgraffiad byr a difyr a gyfrannodd i'r gyfrol *Gwŷr Llên* a olygwyd gan Aneirin Talfan Davies yn 1948. Ar ôl cyfnod o ddysgu mewn ysgolion yng Nghymru a Lloegr, ailymaflodd yn ei yrfa academig, a graddiodd yn y Gymraeg ym Mangor yn 1908. Dysgu yng Nghefnddwysarn a'r Barri fu ei hanes wedyn, gan ennill Cadair Eisteddfod Genedlaethol Bae Colwyn, 1910, am ei awdl enwog i'r 'Haf'. Trodd yn genedlaetholwr, meddai, pan aeth yng nghwmni ei brifathro yn y Barri i weld gêm o rygbi lle curwyd yr Albanwyr gan y Cymry. O 1916 i 1918 bu'n ofynnol iddo wisgo lifrai'r brenin, er mai 'methiant truenus' a fu fel milwr, yn ôl ei gyfaddefiad ei hun. Yn 1921 penodwyd ef yn ddarlithydd 'mewnol ac allanol' yn ei hen goleg ym Mangor, ac yno y bu, nid bob amser yn hollol gyfforddus, hyd ei ymddeoliad yn 1944. Dioddefodd anhwylder a effeithiodd ar ei gof yn ei flynyddoedd olaf, a bu farw ym Methesda yn 72 mlwydd oed. Gŵr sensitif, nerfus, a ymboenai'n barhaus am ei iechyd, oedd Williams Parry, un a garai'r encilion a'r cwmni dethol, ond ar yr un pryd, un a fyrlymai o hiwmor direidus a chrafog.

Gellir rhannu ei yrfa farddonol yn fras i ddau gyfnod – y cyfnod cynnar, rhamantaidd y perthyn awdl 'Yr Haf' iddo, a gweddill ei gynnyrch wedi iddo gefnu'n bendant ar ei ramantiaeth gynnar, yn bennaf oherwydd 'y rhwyg o golli'r hogiau' yn y Rhyfel Mawr. Nodweddir ei ganu gan fyfyrdod ar freuder a byrder bywyd, ar anocheledd marwolaeth, a chan ei ymateb synhwyrus i ryfeddodau byd natur o'i gwmpas. Bu anneallltwriaeth rhyngddo ef a'i gyflogwyr ym Mangor ar ddiwedd y dauddegau a dechrau'r tridegau, ac achosodd hynny bryder a gofid iddo, yn gymaint felly nes iddo ymwrthod â chyhoeddi barddoniaeth am gyfnod ac encilio i'w gragen. Ond pan losgwyd yr Ysgol Fomio yn Llŷn yn 1936, a phan ddiswyddwyd Saunders Lewis gan Goleg y Brifysgol, Abertawe yn sgil hynny, deffrowyd ei awen drachefn, a chanodd rhai o'i gerddi mwyaf ysgytiol fel canlyniad.

Meddai T.H. Parry-Williams yn yr ysgrif goffa y cyfeiriwyd ati ar y dechrau: 'Fe welodd rhai ohonoch hwn, efallai, yn troedio'n wisgi a phwrpasol, a sbectol ar ei drwyn, wedi ymwisgo'n drwsiadus fel pin mewn papur, a phob blewyn yn ei le, ac fe'i clywsoch, o bosibl, yn cyfnewid cyfarch bach digon cyffredin â rhyw fforddolyn arall. Pwy a fuasai'n meddwl ei fod, ar ambell eiliad goruwchnaturiol, yn un o weledyddion prin y canrifoedd?'

Braint yw cael cyhoeddi'r detholiad bach hwn o'i waith.

Haf

(Y Glöwr)

Mae'r glân arglwyddi'n gyrru
Mewn dwfn gerbydau hardd,
A'u harglwyddesau'n tyrru
O'r dref i goed yr ardd;
Paham na cheni dithau'n iach,
Ar hindda fwyn, i'r Rhondda Fach?

Mae ynys yn y Barri,
Ac awel ym Mhorthcawl,
A siwrnai yn y siarri
I rai a fedd yr hawl;
Paham y treuli ddyddiau ir
A nosau haf yn Ynyshir?

Gaeaf

(Yr Hen Weinidog)

Ti wyddost fel mae'r llanciau
Mewn hiraeth am un iau;
Ti wyddost am ystranciau
Hynafgwyr, un neu ddau;
A gwyddost ti mor drist, mor drist,
Yw diwedd oes dan groes dy Grist.

Rhag dirmyg amlwg llanciau
Mewn hiraeth am un iau,
Rhag blin dristâd ystranciau
Hynafgwyr, un neu ddau,
Rhodded ei Feistr, o'i fawr ras,
Ei dirion nodded i'r hen was.

Awdl yr Haf

(Detholiad)

'Roedd haf oddeutu'r afon,
A chywoeth haul uwch ei thon
A rôi belydr ei bali
Euraid, llathr, ar hyd ei lli;
A phersawr awel, a phrysur hwian,
A gwybod ollwng y gwybed allan.
Gwŷdd deiliog oedd i'w dwylan. Dan eu clyd
Ymylon hefyd mi welwn hafan.

A gweled fyned i'r fan
Ddau a rwyfodd i'r hafan;
A gwrando'r prydferth chwerthin
A chwarddo merch rudd ei min
Yn beraidd. A bu, a'r ddau heb ohir
Yn rhwyfo'n frwd, a'r haf yn y frodir,
Im dybied im glywed yn glir, o'r làn,
Fy enw fy hunan ar fin y feinir.

A phrudd fu'r deffro heddyw,
A gweld y wag aelwyd wyw
Heb farwor, ac agoryd
Dôr y bwth ar wacter byd.
Eithr haul oedd yno yn deffro dyffryn
A thwyn, heb ledrith yn ei belydryn.
Nid oedd chwa nac eira gwyn yn aros,
Y ddau, fel y nos, a ddiflanesyn'.

Ac ar y llawnt ger y llwyn
Darogenais dw'r Gwanwyn;
Ac wele, canfod blodyn
O bryd a gwedd y Brawd Gwyn.
Ac o'r prynhawn ger y prennau yno
Deuai mewn siffrwd i'm mynwes effro –
'Pob rhyw delyn cyn bod co' fu'n datgan
Geined y Ganaan. Gwna duag yno.'

Marw i fyw mae'r haf o hyd;
Gwell wyf o'i golli hefyd:
Dysgaf, a'm haul yn disgyn,
Odid y daw wedi hyn.
Mwy ni adnabum ennyd anobaith
Y daw'm hanwylyd i minnau eilwaith;
Ba enaid ŵyr ben y daith sy'n dyfod?
Boed ei anwybod i'r byd yn obaith!

Adref

Bu amser pan ddewisais rodio ar led, –
Gan roddi heibio 'm genedigaeth fraint, –
Trwy ddiflanedig ddydd marchogion Cred,
A thrwy'r distawrwydd lle bu'r twrnamaint.
Cefnais yn ynfyd ar fy oes fy hun,
Ac megis dewin hen yn bwrw ei hud
Mi atgyfodais lawer eurwallt fun
O'i thrwmgwsg tawel ger ei marchog mud.
Ond hiraeth doeth y galon adre a'm dug
Oddi ar ddisperod bererindod serch,
I brofi o'r gwirionedd sy'n y grug,
Ac erwau crintach yr ychydig gerch.
Digymar yw fy mro trwy'r cread crwn,
Ac ni bu dwthwn fel y dwthwn hwn.

Y Sguthan

Dy ofn a'm dychryn, glomen wyllt,
Pan safwyf dan dy ddeiliog bren;
Arhosi 'n fud o'i fewn nes hyllt
Dy daran agos uwch fy mhen:
Ganwaith yn sŵn dy ffwdan ffôl
Y trodd fy nghalon yn fy nghôl.

Nid rhaid it ddianc fel y gwynt,
Ni'th leddir ond o frad y dryll;
Ac megis Lleu Llaw Gyffes gynt
Ni fedd a'th laddo ond un dull:
Dy fwrw o'th wrthol, glomen gu,
A'th gael dan blygion dwfn dy blu.

Ni fynni lety fel dy chwaer
Sy'n hel ei thamaid ar y stryd;
I'r glasgoed nas mesurodd saer
Esgynni oddi ar ysgubau'r ŷd:
I'r anwel tawel sy ar bob tu
Ym mynwes Coed y Mynydd Du.

Mi adwaen rywun dyner-lais
A huda'r adar ar ei hôl;
Ac oen ni sugna, os hon a'i cais,
Na ad ei ddala hyd y ddôl;
Ni thycia 'i thyner arfer hi,
Ei theg lais dwys ni'th oglais di.

Ond pan fo'r chwa yn lleddfu'th ofn
Heb unswn estron ar ei min,
A phan na bo'n y goedwig ddofn
Ond gosteg hyd ei phellaf ffin,
Tithau, bryd hyn, agori big
Dy ddiniweidrwydd yn y wig.

Y Gylfinhir

Dy alwad glywir hanner dydd
Fel ffliwt hyfrydlais uwch y rhos;
Fel chwiban bugail a fo gudd
Dy alwad glywir hanner nos;
Nes clywir, pan ddwysâ dy sŵn
Cyfarth dy anweledig gŵn.

Dy braidd yw'r moel gymylau maith,
A'th barod gŵn yw'r pedwar gwynt
Gorlanna'th ddiadelloedd llaith,
I'w gwasgar eilwaith ar eu hynt
Yn yrr ddiorffwys, laes, ddi-fref,
Hyd lyfnion hafodlasau'r nef.

Y Ceiliog Ffesant

Oherwydd fod d'amryliw blu
Fel hydref ar dy fynwes lefn,
A phob goludog liw a fu
Yn mynd a dyfod hyd dy gefn,
Cadwed y gyfraith di rhag cam;
Ni fynnwn innau iti nam.

Oherwydd clochdar balch dy big,
A'th drem drahaus ar dir y lord,
Mi fynnwn heno gael dy gig
Yn rhost amheuthun ar fy mord;
A byw yn fras am hynny o dro
Ar un a besgodd braster bro.

Tylluanod

Pan fyddai'r nos yn olau,
A llwch y ffordd yn wyn,
A'r bont yn wag sy'n croesi'r dŵr
Difwstwr ym Mhen Llyn,
Y tylluanod yn eu tro
Glywid o Lwyncoed Cwm-y-Glo.

Pan siglai'r hwyaid gwylltion
Wrth angor dan y lloer,
A Llyn y Ffridd ar Ffridd y Llyn
Trostynt yn chwipio'n oer,
Lleisio'n ddidostur wnaent i ru
Y gwynt o Goed y Mynydd Du.

Pan lithrai gloywddwr Glaslyn
I'r gwyll, fel cledd i'r wain,
Pan gochai pell ffenestri'r plas
Rhwng briglas lwyni'r brain,
Pan gaeai syrthni safnau'r cŵn,
Nosâi Ynysfor yn eu sŵn.

A phan dywylla'r cread
Wedi'i wallgofddydd maith,
A dyfod gosteg ddiystŵr
Pob gweithiwr a phob gwaith,
Ni bydd eu Lladin, ar fy llw,
Na llon na lleddf – 'Tw-whit, tw-hw!'

Y Llwynog

Ganllath o gopa'r mynydd, pan oedd clych
Eglwysi'r llethrau'n gwahodd tua'r llan,
Ac annhreuliedig haul Gorffennaf gwych
Yn gwahodd tua'r mynydd, – yn y fan,
Ar ddiarwybod droed a distaw duth,
Llwybreiddiodd ei ryfeddod prin o'n blaen;
Ninnau heb ysgog a heb ynom chwyth
Barlyswyd ennyd; megis trindod faen
Y safem, pan ar ganol diofal gam
Syfrdan y safodd yntau, ac uwchlaw
Ei untroed oediog dwy sefydlog fflam
Ei lygaid arnom. Yna heb frys na braw
Llithrodd ei flewyn cringoch dros y grib;
Digwyddodd, darfu, megis seren wib.

Gwenci

Gadawsom ffordd y sir am ryw hen lôn
Rhyngom a'r mynydd, gan fod iddi giât
(Giât mochyn ydyw'r enw arni ym Môn)
A roddai'r hawl i groesi tir y stât.
Wrth rodio gwelem ffridd, ac ar y ffridd
Gwningen farwaidd fawr. Mor llonydd oedd!
Cans ni chychwynnai mwy na'r pren o'r pridd
Er inni guro dwylo a rhoddi bloedd.
'R ôl cerdded plwc dychwelsom. 'Mae hi'n fyw.'
Meddai fy nghymar, 'ac mae'n rhedeg ras!
Edrychwch fel mae'n chware efo'i chyw
A chymryd arni fynd ei gore glas.
Pwy gura os gwn-i?' Y bychan oedd yn ben,
Y sugnwr sydyn yn y wasgod wen.

Y Peilon

Tybiais pan welais giang o hogiau iach
Yn plannu'r peilon ar y drum ddi-drwst
Na welwn mwy mo'r ysgyfarnog fach,
Y brid sydd rhwng Llanllechid a Llanrwst.
Pa fodd y gallai blwyfo fel o'r blaen
Yn yr un cwmwd â'r ysgerbwd gwyn?
A rhoi ei chorff i orffwys ar y waun
Dan yr un wybren â'i asennau syn?
Ba sentimentaleiddiwch! Heddiw'r pnawn,
O'r eithin wrth ei fôn fe wibiodd pry'
Ar garlam igam-ogam hyd y mawn,
Ac wele, nid oedd undim ond lle bu;
Fel petai'r llymbar llonydd yn y gwellt
Wedi rhyddhau o'i afael un o'i fellt.

Clychau'r Gog

Dyfod pan ddêl y gwcw,
Myned pan êl y maent,
Y gwyllt atgofus bersawr,
Yr hen lesmeiriol baent;
Cyrraedd, ac yna ffarwelio,
Ffarwelio, – Och! na pharhaent.

Dan goed y goriwaered
Yn nwfn ystlysau'r glog,
Ar ddôl a chlawdd a llechwedd
Ond llechwedd lom yr og
Y tyf y blodau gleision
A dyf yn sŵn y gog.

Mwynach na hwyrol garol
O glochdy Llandygái
Yn rhwyfo yn yr awel
Yw mudion glychau Mai
Yn llenwi'r cof â'u canu;
Och na bai'n ddi-drai!

Cans pan ddêl rhin y gwyddfid
I'r hafnos ar ei hynt
A mynych glych yr eos
I'r glaswellt megis cynt,
Ni bydd y gog na'i chlychau
Yn gyffro yn y gwynt.

Ar Gofadail

O gofadail gofidiau tad a mam!
Tydi mwy drwy'r oesau
Ddysgi ffordd i ddwys goffáu
Y rhwyg o golli'r hogiau.

Hedd Wyn

1.

Y bardd trwm dan bridd tramor, y dwylaw
Na ddidolir rhagor:
Y llygaid dwys dan ddwys ddôr,
Y llygaid na all agor!

Wedi ei fyw y mae dy fywyd, dy rawd
Wedi ei rhedeg hefyd:
Daeth awr i fynd i'th weryd
A daeth i ben deithio byd.

Tyner yw'r lleuad heno tros fawnog
Trawsfynydd yn dringo:
Tithau'n drist a than dy ro
Ger y Ffos ddu'n gorffwyso.

Trawsfynydd! Tros ei feini trafaeliaist
    Ar foelydd Eryri:
  Troedio wnest ei rhedyn hi,
  Hunaist ymhell ohoni.

2.

Ha frodyr! Dan hyfrydwch llawer lloer
    Y llanc nac anghofiwch;
  Canys mwy trist na thristwch
  Fu rhoddi'r llesg fardd i'r llwch.

Garw a gwael fu gyrru o'i gell un addfwyn,
    Ac o noddfa 'i lyfrgell:
  Garw fu rhoi 'i bridd i'r briddell,
  Mwyaf garw oedd marw ymhell.

Gadael gwaith a gadael gwŷdd, gadael ffridd,
    Gadael ffrwd y mynydd:
  Gadael dôl a gadael dydd,
  A gadael gwyrddion goedydd.

Gadair unig ei drig draw! Ei dwyfraich,
    Fel pe'n difrif wrandaw,
  Heddiw estyn yn ddistaw
  Mewn hedd hir am un ni ddaw.

Milwr

(Richard Jones, Blaenau Ffestiniog)

Rhoes ei nerth a'i brydferthwch tros ei wlad,
        Tros aelwydydd heddwch:
    Gyfoedion oll, gofidiwch!
    Lluniaidd lanc sy'n llonydd lwch.

Morwr

(Tom Elwyn Jones, Y Rhyl)

Y Tom gwylaidd, twymgalon, sy'n aros
        Yn hir yn yr eigion:
    Mor oer yw'r marw yr awron
    Dan li 'r dŵr, dan heli 'r dòn.

O ryfedd dorf ddi-derfysg y meirwon
        Â gwmon yn gymysg!
    Parlyrau'r perl, erwau'r pysg
    Yw bedd disgleirdeb addysg.

Dau frawd

(Robert Pritchard Evans, a'i frawd, Melinllecheiddior, Eifionydd)

Nid fan hon y dwfn hunant, dros y môr
    Dyrys maith gorffwysant:
  Ond eu cofio 'n gyson gânt
  Ar y mynor ym Mhennant.

Milwr o Feirion

(Thomas Jones, Cefnddwysarn)

Ger ei fron yr afon rêd, dan siarad
    Yn siriol wrth fyned:
  Ni wrendy ddim, ddim a ddwed, –
  Dan y clai nid yw'n clywed.

Ond pridd Cefnddwysarn arno, a daenwyd
    Yn dyner iawn trosto;
  A daw'r adar i droedio
  Oddeutu 'i fedd ato fo.

Angau

Y mwyalch pêr â'i osgo
Mor brydferth ar y brig,
Mae pwt o bridd y berllan
Yn baeddu aur dy big.

Y mwyalch pêr â'i alaw
Yn gweithio'i fynwes gu,
Mae nos dywyllaf pechod
Yn blygain wrth dy blu.

Y mwyalch pêr â'r llygaid
Dihalog fel dwy em,
Tu mewn i'w haur fodrwyau
Mae trwbwl yn eu trem.

Y mwyalch, pam yr ofni?
Taeog yw'r bywyd hwn;
Ac aros dyn a deryn
Mae garddwr ac mae gwn.

Marwoldeb

'Whatever the year brings, he brings nothing new.'
– Rose Macaulay

Na chais, y prydydd ifanc, gan yr hen
Roi taw ar ei dorcalon dirwymedi;
Mygu hen bruddglwy'r pridd, a thraethu ei lên
Ar fri'r newyddoes ddur ac anfri'i ch'ledi.
A chwyth y ddwyfol awel er mwyn troi
Melinau'r awr a hwylio llongau Iwerydd?
Neu chwalu hir waeau'r werin, sy'n crynhoi
Fel dail y llynedd yn y trist gwterydd?
Dduw mawr! Fe droes y bardd yn bamffletîr.
A fu, ai ynteu na fu, farw Branwen?
A dry'r ffigysbren ddiffrwyth eto'n ir
Pan eilw y seffyr ac ni syfl Arianwen?
Megis y bu o'r dechrau, felly y mae:
Marwolaeth nid yw'n marw. *Hyn* sydd wae.

Hen Gychwr Afon Angau

Yn ôl y papur newydd yr oedd saith
A phedwar ugain o foduron dwys
Wedi ymgynnull echdoe at y gwaith
O redeg rhywun marw tua'i gŵys.
Fwythdew fytheiaid! Fflachiog yw eu paent
Yng nghynebryngau'r broydd, ond mor sobr
Eu moes a'u hymarweddiad â phetaent
Mewn duwiol gystadleuaeth am ryw wobr.
A phan fo'r ffordd i'r fferi'n flin i'r cnawd,
Ac yn hen bryd i'r ysbryd gadw'r oed,
Onid ebrwyddach yr hebryngir brawd
Yn y symudwyr moethus nag ar droed?
Ond ar y dwfr sydd am y llen â'r llwch
Ni frysia'r Cychwr, canys hen yw'r cwch.

Yn Angladd Silyn*

Mor ddedwydd ydyw'r 'deryn gwyllt
Heddiw a hyllt yr awel;
Yfory, pan fo'i dranc gerllaw,
Fe gilia draw i'w argel;
A neb ni wêl na lle na dull
Ei farw tywyll, tawel.

Tithau, a garai grwydro'r rhos
Pan losgai'r nos ei lleuad, –
Yr awr o'r dydd pan gasgl y byw
I roddi'r gwyw dan gaead,
Daethost lle gwêl y neb a fyn
Ddyffryn dy ddarostyngiad.

O na bai marw'n ddechrau taith
Trosodd i'r paith diwethaf,
Lle ciliai'r teithiwr tua'r ffin
Fel pererin araf,
Cyn codi ar y gorwel draw
Ei law mewn ffarwel olaf.

* *R. Silyn Roberts (1871-1930), bardd a Sosialydd o Ddyffryn Nantlle.*

A.E. Housman

Nid ofna'r doeth y byd a ddaw
Ar ochor draw marwolaeth.
Ei ddychryn ef yw bod yn fyw:
Angheuol yw bodolaeth.

Heb honni amgyffred – ow! mor rhwydd –
Gwallgofrwydd creadigaeth,
Myfyria ar ei farwol stad,
A brad ei enedigaeth.

Y doeth yn ei gadernid syrth
Yn wyneb gwyrth ei gread,
Ond yn ei wendid cyfyd lais
Yn erbyn trais dilead.

Ei fywyd mewn di-ddyddliw wig
A fydd gaeadfrig yrfa:
Ni rydd ei hyder yn yr wybr,
Ni rodia lwybr y dyrfa.

Bendith ni dderbyn yn y llan,
Nac yn y cwpan wynfyd;
Nid eistedd gyda'r union-gred,
Na chyda'r anghred ynfyd.

Nid ardd, nid erddir iddo chwaith,
Ond ar y daith ni phara,
Ei synfyfyrdod fe dry'n fwyd,
Crea o'i freuddwyd fara.

A'r hwn ni ddaeth i'r byd o'i fodd
A dry o'i anfodd ymaith;
Oherwydd cyn ei ddifa a'i ladd
Ceisiodd, a chadd, gydymaith.

Hwnnw yw'r ansylweddol wynt
Sy oddeutu'r hynt yn mydru;
Ac ar y rhith y mae'n ei weu
Ni bydd dileu na phydru.

Gadael Tir

1.

Fel un a wrendy dristwch yn yr hesg
Rhwng chwerthin ei gariadferch dan y lloer,
Myfyriaf fyfyrdodau henaint llesg
Cyn dyfod dyddiau blin ei hydref oer.
Heb bylni llygad, ac heb gryndod llaw
Na diffrwyth barlys, na chaethiwed gwynt,
Ni welaf mwyach yn y pellter draw
Fynyddoedd fy mlynyddoedd megis gynt
Y'u gwelais yn eu harddwch ar yr wybr.
Clafychu mae fy nydd am ddydd a fu,
Can's lle bu llais y durtur uwch fy llwybr
Cyffrous yw llef y cigfrain ar bob tu.
Ai terfysg hafddydd yw, ai storm yr hwyr,
Tragywydd ai tros amser, Duw a ŵyr.

Gadael Tir

2.

Pan ddelo'r dydd im roddi cyfrif fry
O'm goruchwyliaeth ar y ddaear lawr,
A dyfod hyd y fan lle clywir rhu
Y môr ar benrhyn tragwyddoldeb mawr;
A llwyr gyffesu llawer llwybyr cam
Mewn mynych grwydro ffôl a wybu'm traed,
A phledio'r dydd y'm gwnaed o lwch a fflam,
O gnawd a natur, ac o gig a gwaed;
Odid na ddyry'r Gŵr a garai'r ffridd
Ac erwau'r unigeddau wedi nos,
I un na wybu gariad ond at bridd,
Ryw uffern lonydd, leddf, ar ryw bell ros,
Lle chwyth atgofus dangnefeddus wynt
Hen gerddi gwesty'r ddaear garodd gynt.

Beddargraffiadau

Mrs Dr Owen, Pen-y-groes

I dlawd rhoes barch dyladwy, i'r isel
Hi roes ei chynhorthwy:
Prydferth ei cham yn tramwy;
Prydferth ddiymadferth mwy.

Mewn serch pur, mewn tosturi, ac mewn cof
Cwmni cu amdani;
Mewn hiraeth nas myn oeri,
Didranc ac ieuanc yw hi.

Mrs D.J. Evans, y Drenewydd

I'r addfwyn rhowch orweddfa mewn oer Fawrth,
Mewn rhyferthwy gaea';
Rhowch wedd wen dan orchudd iâ;
Rhowch dynerwch dan eira.

Ar fedd Dr Robert Owen, a'i wraig, Pen-y-groes

Y ddau hyn ddoe wahanwyd – o'u hanfodd
O wynfyd eu haelwyd;
O'u bodd llawn yn eu bedd llwyd
Y ddau lonydd ailunwyd.

Coffa Gwallter Llyfnwy

I'r brifwyl gynt yr hwyliwn, – ei phabell
    A'i phobol a garwn;
  Difiwsig wyf, difosiwn:
  Gwae'r di-'steddfod dywod hwn.

Mam Hiraethus

Hiraethais, llesgeais, gwn; – O! fy mab,
    Yn fy myw ni pheidiwn;
  O! Dduw Iôr, os bai oedd hwn,
  I mi maddau: mam oeddwn.

Neuadd Goffa Mynytho

Adeiladwyd gan Dlodi, – nid cerrig
    Ond cariad yw'r meini;
  Cydernes yw'r coed arni,
  Cyd-ddyheu a'i cododd hi.

Morys T. Williams

Mae gwaeth afon na Chonwy – i'w chroesi,
    Echrysach nag Elwy
  Ac Aled, cyn y'i gwelwy';
  Nid ymddengys Morys mwy.

Hen Gyfaill

(Bu ymadawiad y diweddar John Evan Thomas am Benmachno yn golled fawr i dlodion Pen-y-groes)

Ar ei faen na sgrifennwch – un llinell
    O weniaith, ond cerfiwch
  'I'r neb a gâr ddyngarwch
  Annwyl iawn yw hyn o lwch.'

Cysur Henaint

Mae mewn ieuenctid dristwch, ac mewn oed
Ddiddanwch, fel ar haul yr haf y trig
Y bore-ddydd yn dywyll yn y coed,
A'r nawnddydd fel y nos o dan y brig;
Nes dyfod mis o'r misoedd pan fo'r gwynt
Yn cychwyn crinddail ar eu hediad oer,
A thrwy'r di-nefoedd dywyll-leoedd gynt
Yn chwythu llewych haul a llewych lloer.
Ninnau, pan syrth ein grawnwin, a phan dynn
Dydd ein diddychwel haf hyd eitha 'i rawd,
Ni wyddom beth a fyddwn, onid hyn: –
Mor druan nid yw Henaint nac mor dlawd
Nad erys yn ei gostrel beth o'r gwin
I hybu'r galon rhwng yr esgyrn crin.

Y Gwrthodedig

(J. Saunders Lewis)

Hoff wlad, os gelli hepgor dysg
Y dysgedicaf yn ein mysg,
Mae'n rhaid dy fod o bob rhyw wlad
Y fwyaf dedwydd ei hystâd.

Os gelli fforddio diffodd fflam
A phylu ffydd dy fab di-nam,
Rhaid fod it lawer awdur gwell
Na'r awdur segur sy'n ei gell.

Os mynni ei wadu a'i wrthod ef
Y diniweitiaf dan dy nef,
Rhaid fod it lawer calon lân
A waedai trosot ar wahân.

Os mynni lethu â newydd bwn
Y llwythog a'r blinderog hwn,
Achub yn awr dy gyfle trist,
Ac na fydd feddal fel dy Grist.

J.S.L.

Disgynnaist i'r grawn ar y buarth clyd o'th nen
Gan ddallu â'th liw y cywion oll a'r cywennod;
A chreaist yn nrysau'r clomendy uwch dy ben
Yr hen, hen gyffro a ddigwydd ymhlith colomennod.
Buost ffôl, O wrthodedig, ffôl; canys gwae
Aderyn heb gâr ac enaid digymar heb gefnydd;
Heb hanfod o'r un cynefin yng nghwr yr un cae –
Heb gorff o gyffelyb glai na Duw o'r un defnydd.
Ninnau barhawn i yfed yn ddoeth, weithiau de
Ac weithiau ddysg ym mhrynhawnol hedd ein stafelloedd;
Ac ar ein clyw clasurol ac ysbryd y lle
Ni thrystia na phwmp y llan na haearnbyrth celloedd.
Gan bwyll y bwytawn, o dafell i dafell betryal,
Yr academig dost. Mwynha dithau'r grual.

Ma'r Hogia'n y Jêl

'Roedd Nebuchod'nosor a'r dyn ar 'i dwrn
Yn deud bod 'na bedwar i'w gweld yn y ffwrn;
Fydda' fo syn yn y byd gin inna', Wil Êl,
Petai 'na Bedwerydd i'r hogia'n y jêl.

Ma' Twm yn 'i barlwr yn chwara' pontŵn,
Ma' Dic yn rhoi swlltyn ne' ddau ar y cŵn;
Ma' Harri'n y Bedol, a'r ddiod fel mêl:
Dros bobol fel ni, Wil, y ma'r hogia'n y jêl.

Ma' stiwdants drwy'r byd yn rhai brwd dros 'u gwlad,
Ond oer 'di'r athrawon, 'does undyn a'i gwad;
Ma' nhw'n rhy athronyddol i deimlo dim sêl:
Dros addysg a choleg ma'r hogia'n y jêl.

Ma'r pregethwr yn bloeddio nerth esgyrn 'i ben,
A rhai o'r hen bobol yn gweiddi 'Amen';
Ma'r rhain yn yr harbwr o afa'l y gêl:
Dros grefydd a chapal ma'r hogia'n y jêl.

Mi ddaw'n wanwyn cyn hir, mi ddaw'r hedydd i'w lais,
A'r falwan i'r ddraenan, fel y deudodd rhyw Sais;
Mi fydd popeth yn iawn ar y byd 'ma, Wil Êl;
Mi fydd Duw yn 'i Nefoedd – a'r hogia'n 'u jêl.

Cymru 1937

Cymer i fyny dy wely a rhodia, O Wynt,
Neu'n hytrach eheda drwy'r nef yn wylofus waglaw;
Crea anniddigrwydd drwy gyrrau'r byd ar dy hynt –
Ni'th eteil gwarchodlu teyrn na gosgorddlu rhaglaw.
Dyneiddia drachefn y cnawd a wnaethpwyd yn ddur,
Bedyddia'r di-hiraeth â'th ddagrau, a'r doeth ail gristia;
Rho awr o wallgofrwydd i'r llugoer tu ôl i'w fur,
Gwna ddaeargrynfeydd dan gadarn goncrit Philistia:
Neu ag erddiganau dy annhangnefeddus grwth
Dysg i'r di-fai edifeirwch, a dysg iddo obaith;
Cyrraedd yr hunan-ddigonol drwy glustog ei lwth,
A dyro i'r difater materol ias o anobaith:
O'r Llanfair sydd ar y Bryn neu Lanfair Mathafarn
Chwyth ef i'r synagog neu chwyth ef i'r dafarn.

Propaganda'r Prydydd

Ni pherthyn y bardd i'r byd fel i Natur werdd,
Ac ni wna gyfaddawd ag ef fel y bydol-ddoethyn.
Ni ddring i bulpudau'r oes, ac ni chân ei cherdd,
Ni saif ar ei focs yng nglaswellt Parc y Penboethyn.
Onis ganed o'r hen anachubol, annynol wrach
A'n synna â'i sioe o sêr ac â'i sblôut o fachlud,
Nes toddi'n llymaid y lleddf, nes sobreiddio'r iach,
Heb ymddiddori ddim yn ein byw crebachlyd?
Oddieithr pan ollyngo'i bollt, a llefaru'r gair
A ddychryn ein materoldeb o'n marwol wead;
A ddwg y ddrychiolaeth i'r wledd a'r ffantom i'r ffair,
A ddengys y pryf yn y pren, y crac yn y cread;
Y daran a glosia'r glew at y mosc a'r mascot,
Y dylif a ddiffydd yr haul ar heolydd Ascot.

Y Gwynt

1.

Mae'th chwiban leddf drwy dwll y clo
Fel pibau pagan er cyn co';
Mae'th oernad yn y simdde fawr
Fel utgyrn yng ngorymdaith cawr.

Mae'th feinlais pêr drwy holltau'm bwth
Fel gorchest Hiraeth ar ei grwth;
Mae'th gryndod allan wrth fy nôr
Yn awr fel dirfawr derfysg môr.

Ond pan agorwyf ddrws i'r traeth
I weld y llanw'n wyn fel llaeth,
Ni welaf undim ond y waun
Yn wyneb lonydd fel o'r blaen.

A chyffro lleuad lawn a ffy
Yn ofer yn y nefoedd fry,
Fel un a rêd o lam i lam
Hyd feysydd cwsg heb ennill cam.

Y Gwynt

2.

Tydi yw'r hynafiaethydd chwim
A ddysg hynafiaeth hiraeth im;
Mwy cynnar yw dy lafar lên
Na llyfrau coll Talhaearn hen.

Pan gasgl dy fiwglau, fel i frwydr,
Fyddinoedd fy meddyliau crwydr,
Cofiaf fy llwyd anghysbell wawr
Cyn bod rhyfeddod Arthur Fawr.

Cofiaf fy nharddle bore gynt,
A nofiaf hen ffynhonnau f'hynt,
Pan ddarganfûm dy fod yn bêr
Cyn enwi'r haul na chyfri'r sêr.

Cyn dyfod dydd y ganed ofn
Yn ogofeydd y galon ddofn,
Pan nad oedd bywyd namyn byw,
Pan ydoedd dynion cyn bod duw.

Mae Hiraeth yn y Môr

Mae hiraeth yn y môr a'r mynydd maith,
Mae hiraeth mewn distawrwydd ac mewn cân,
Mewn murmur dyfroedd ar dragywydd daith,
Yn oriau'r machlud, ac yn fflamau'r tân:
Ond mwynaf yn y gwynt y dwed ei gŵyn,
A thristaf yn yr hesg y cwyna'r gwynt,
Gan ddeffro adlais adlais yn y brwyn,
Ac yn y galon atgof atgof gynt.
Fel pan wrandawer yn y cyfddydd hir
Ar gân y ceiliog yn y glwyd gerllaw
Yn deffro caniad ar ôl caniad clir
O'r gerddi agos, nes o'r llechwedd draw
Y cwyd un olaf ei leferydd ef,
A mwynder trist y pellter yn ei lef.

Yr Iberiad

Ha wŷr fy mrodyr! Fel 'roedd hedd
Y ddaear hawddgar ar fy ngwedd
Pan glywn y durtur gylch fy nghell
Yng nghysgod coed y Berwyn pell.

'Roedd yno lonydd, Duw a ŵyr,
A golau'r dydd fel golau'r hwyr;
A chodai'r mynydd wrth fy nôr
Ymhell o'r byd, ymhell o'r môr.

'Roedd yno gordial at bob clwy
Mewn unigeddau fwy na mwy,
Lle rhoddai'r nef i fachgen lleddf
Ddifyrru 'i ddydd yn ôl ei reddf.

Ac nid oedd yno ddim rhyw boen,
Ond tristwch mwyn fel hanner hoen,
Pan wylai f' ienctid moethus, clyd,
Y dagrau difyr cyn eu pryd.

O ddyddiau fy niddanwch pur
Pan oeddwn arglwydd ar fy nghur!
Ar fron a chlogwyn, ac ar ffridd
Yn profi'r heddwch sydd o'r pridd.

Mi gefais goleg gan fy nhad,
A rhodio'r byd i wella 'm stad;
Ond cefais gan yr hon a'm dug
Fy ngeni 'n frawd i flodau'r grug.

Ha wŷr fy mrodyr! Fel bae hedd
Y ddaear hawddgar ar fy ngwedd
Pe clywn yng nghoed y Berwyn pell
Y durtur eto gylch fy nghell.

Rhyfeddodau'r Wawr

Rhyfedd fu camu'n ddirybudd i'r wawrddydd hardd
A chyrraedd sydyn baradwys heb groesi Iorddonen;
Clywed mynyddlais y gwcw yng nghoed yr ardd,
A gweld yr ysguthan yn llithro i'r gwlydd o'r onnen;
Rhyfedd fu gweled y draenog ar lawnt y paun
A chael y cwningod yn deintio led cae o'u twnelau,
Y lefran ddilety'n ddibryder ar ganol y waun,
Y garan anhygoel yn amlwg yn nŵr y sianelau.
Rhyfeddach fyth, O haul sy'r tu arall i'r garn,
Fai it aros lle'r wyt a chadw Dyn yn ei deiau,
Nes dyfod trosolion y glaswellt a'u chwalu'n sarn
Rhag dyfod drachefn amserddoeth fwg ei simneiau;
Ei wared o'i wae, a'r ddaear o'i wedd a'i sawyr,
Cyn ail-harneisio dy feirch i siwrneiau'r awyr.

Gair o Brofiad

(Ar ddechrau blwyddyn)

Llwfr ydwyf, ond achubaf gam y dewr;
Lleddf ydwyf, ond darllenaf awdur llon.
Yn anghredadun, troaf at fy Nghrewr
Pan dybiwyf ryw farwolaeth dan y fron.
Di-dderbyn-wyneb ydwyf wrth y bwrdd,
Beirniadus ac esgeulus iawn o'm gwlad;
Anhyglyw ac anamlwg yn y cwrdd,
Diasgwrn-cefn ac ofnus ymhob cad.
'Rwy'n wych, 'rwy'n wael, 'rwy'n gymysg oll i gyd;
Mewn nych, mewn nerth, mewn helbul ac mewn hedd
'Rwy'n fydol ac ysbrydol yr un pryd.
Deg canmil yw fy meiau, ond cyn fy medd
Mi garwn wneuthur rhywbeth gwiw dros Grist
Fel nad edrycho arnaf mor rhyw drist.

Pantycelyn

Bererin pererinion llwyd eu gwedd
Sy â'th wyneb pryd ynghrog ar fur fy nghell,
Cenaist ar ddyrys daith tu yma i'r bedd
Ganiadau crythor clir y Jiwbil bell.
Dy drachwant sanctaidd, uwch tabyrddau'r glêr,
Seiniodd yr Enw nad adnabu dyn;
Fel lloer ddi-gartref rhwng lluosowgrwydd sêr
Clafychaist am d' Anwylyd hardd dy hun.
Rhwng muriau'r demel neithiwr gwrando wnes
Dy nwyd yng nghryndod dwfn yr organ reiol;
Dy odidowgrwydd ar y pibau pres,
A'th bruddglwyf ar y delyn fwyn a'r feiol,
Nes dyfod esmwyth su'r deheuwynt ir
Oddi ar ganghennau pomgranadau'r Tir.

Ymson Ynghylch Amser

(Ar y gaer uwch Ffynnon Gegin Arthur)

Hon ydyw'r afon, ond nid hwn yw'r dŵr
A foddodd Ddafydd Ddu. Mae pont yn awr
Lle'r oedd y rhyd a daflodd yr hen ŵr
I'r ffrydlif fach a thragwyddoldeb mawr.
Yma bu Arthur, yma bu Arthur dro,
Yn torri syched hafddydd ar ryw rawd;
Ac odid na ddaeth Gwydion heibio ar ffo:
Ni ddaw ddim eto, na Gilfaethwy'i frawd.
Rhyfedd yw ffyrdd y Rhod sy'n pennu tymp
I'r ffrwyth a ddisgyn ac i ddyn sydd wêr, –
Y chwrligwgan hon a bair na chwymp
Oraens y lleuad a grawnsypiau'r sêr.
Ow! Fory-a-ddilyn-Heddiw-a-ddilyn-Ddoe:
Pa hyd y pery echelydd chwil y sioe?

Blwyddyn

Cefnddwysarn (1912-13)

Pan ddwedwyf wrth fy nghyfaill,
'Gwyn fyd a wêl o'i gell
Mewn bwth ar fraich o fynydd
Ddaear a'i myrdd ymhell,'
Â gwên garedig etyb
Heb yngan gair o'i fin,
'Nid oes baradwys dan y sêr
Ry bleser i ŵr blin.'

Mi fûm yn bwrw blwyddyn,
A'i bwrw'n ôl fy ngreddf,
Trwy ddyddiau dyn a nosau
Y tylluanod lleddf,
Lle'r oedd pob gweld yn gysur
Pob gwrando'n hedd di-drai,
Heb hiraeth am a fyddai, dro,
Nac wylo am na bai.

Canys fy sêr roes imi,
Os oes ar sêr roi coel,
Hendrefu ar y mynydd,
Hafota ar y foel.
Och! fy hen gyfaill marw,
Ac och! fy nhirion dad,
Roes im ddilaswellt lawr y dref
Am uchel nef y wlad.

Eifionydd

O olwg hagrwch Cynnydd
Ar wyneb trist y Gwaith
Mae bro rhwng môr a mynydd
Heb arni staen na chraith,
Ond lle bu'r arad' ar y ffridd
Yn rhwygo'r gwanwyn pêr o'r pridd.

Draw o ymryson ynfyd
Chwerw'r newyddfyd blin,
Mae yno flas y cynfyd
Yn aros fel hen win.
Hen, hen yw murmur llawer man
Sydd rhwng dwy afon yn Rhos Lan.

A llonydd gorffenedig
Yw llonydd y Lôn Goed,
O fwa'i tho plethedig
I'w glaslawr dan fy nhroed.
I lan na thref nid arwain ddim,
Ond hynny nid yw ofid im.

O! mwyn yw cyrraedd canol
Y tawel gwmwd hwn,
O'm dyffryn diwydiannol
A dull y byd a wn;
A rhodio'i heddwch wrthyf f'hun,
Neu gydag enaid hoff, cytûn.

Y Band Un Dyn

Byddai ei gorff yn mynd i gyd
Fel petai arno hwrdd o'r cryd,
A byddai ganddo fwy o faich
Nag a gofleidiai ei ddwy fraich;
Cans ar ei gefn fe gariai ddrwm,
A chan fod morthwyl hon ynghlwm
Wrth ei benelin hi rôi fwm
Pan roddai hwn i hwnnw broc
Yn ôl, ymlaen, fel pendil cloc.
Fry ar ei war – os dyna'r drefn,
Fodd bynnag ar ryw gwr o'i gefn
Lle'r oedd ei ddwylo'n llwyr ddi-les –
Perfformiai pâr o blatiau pres;
A dotiai'r dyrfa at ei fedr
I weithio'r rhain â'r llinyn lledr
A fachwyd rywfodd wrth ei droed
Yn fwyaf cyfrwys fu erioed.
'R oedd hyn o'i seindorf o'i du ôl,
Ond dan ei lygad yn ei gôl
Y nyrsiai'i fagbib, fel un fach
Yn magu'i doli, ac o hon
Fe wasgai fiwsig lleddf a llon;
Ac fel y chwyddai'i ddwyfoch iach
I gadw'r cacwn yn y cwd
Yn brysur gyda'u murmur brwd!
Ynghylch ei helm 'r oedd clychau'n llawn
O beraidd barabl fore a nawn.

Pob rhan o'i berson barai sŵn
A phawb a'i carai ond y cŵn.
O! gwych gan fechgyn ar y stryd
Oedd gweld y gŵr yn mynd i gyd.
Ond i b'le'r aeth? Pa dynged oer
A'i dug o olau haul a lloer?
Hen fand un dyn! Wrth fynd a dod
Fe'i 'sgydwodd ef ei hun o fod,
A rhyfedd fel y rhydd im frath
Na welaf eto fand o'i fath.

Yr Hen Ddoctor

(Dr Edward Rees, Caersŵs)

Mi fûm yn curo neithiwr
Wrth hen gynefin ddrws
Groesawodd lawer teithiwr
O Gymro drwy Gaersŵs,
Ond curo hir ac ofer fu,
Nid oedd y doctor yn ei dŷ.

Bernais mai gweini cysur
Yr oedd i'r claf a'r hen,
Neu'n frwd ar lwyfan prysur
Yng nghwmni'r brodyr llên;
Ond rhywun ddwedodd fel y bu
I'r doctor tirion newid tŷ.

A thua'i newydd drigfan
Prysurais drwy Gaersŵs,
Nes cyrraedd gwerdd unigfan
A churo wrth y drws;
Ac er mai curo ofer fu,
Yr oedd y doctor yn ei dŷ.

Gwae Awdur Dyddiaduron

(Ar ôl darllen astudiaeth Marjorie Bowen o fywyd John Wesley.)

Pwy fydd y nesaf tybed? Tyred, Harris,
Gwna'n hysbys mor synhwyrus ydoedd sant.
Gwell fydd nag wythnos dros y môr ym Mharis
Ag eithrio gan ryw gyplau'n magu plant.
O! llawer gwell na rhythu ar wedd ysgymun
Modrwyau hamadryad sorth y Sŵ
Fydd gweld y stomp a wnest o'r Deg Gorchymyn
'R ôl deffro sarff enbydus hen dabŵ.
Ba fendigedig ddogfen! Bydd dy natur
Yn llyfr agored, Hywel, i'r holl fyd.
Beth waeth gan Hanes am na sant na satyr?
Hi draetha'r gwir, a'r gwir i gyd. I gyd?
Nes na'r hanesydd at y gwir di-goll
Ydyw'r dramodydd, sydd yn gelwydd oll.

Canol Oed

Pan oeddwn yn lanc yn fy ngwely gynt,
A'r hafnos ddi-hedd heb un awel o wynt,
Tri braw oedd i'm blino yno ar fy hyd –
Mellt, Daeargryn, a Diwedd y Byd.

Am y mellt, gwn bellach mai tostaf eu pang
Pan ddilyn eu miwsig yn syth ar eu sang.
Pa delyn a dyr yn nhrybestod y ddawns?
Ar ddeddf tebygolrwydd y seiliaf fy siawns.

Mwy nid yw daeargryn ond chwedl a chwyth,
Rhyw ddychryn a ddigwydd, beunydd a byth,
I ran rhywrai eraill ohonom yw hi
(Ni ddigwydd y cancr nac un adwyth i ni!)

A diwedd y byd, nid disyfyd y daw,
Namyn gan bwyll, heb frys na braw.
Cans araf yw'r bysedd gynt a fu'n gweu
Miraglau'r synhwyrau, i lwyr ddileu.

O! pan na bo'r galon na chynnes nac oer
Y claeara'r haul, y clafycha'r lloer.
A phan rydd yr hydref ei ias i'r mêr
Y disgyn y dail yng nghoedwigoedd y sêr.

Cans diwedd mabolaeth yw diwedd y byd,
Dechrau'r farwolaeth a bery gyhyd.
Diwedd diddanwch, a rydd i'r hwyr
Ei ysbeidiau o haul cyn y paid yn llwyr,

Cyn dyfod diddymdra'r ddaear a'i stôr –
Fy synnwyr a'm meddwl, ei sychdir a'i môr.
Pan chwâl fel uchenaid dros ludw'r dydd
'Bydded tywyllwch.' A nos a fydd.

Drudwy Branwen

O haul, bydd iddo'n nawdd,
Bydd dithau deg, O wynt;
A phâr, O fôr, na fawdd
Ar ei ddiorffwys hynt.

Digrifwas adar byd,
Annuwiol yn ei hoen,
A than ei asgell glyd
Sanctaidd epistol poen.

Wrth dân y gegin ddoe
Parablu'r olaf waith
Yn dlws ar dâl y noe
Ei wers mewn estron iaith.

Ac wele fysedd bun
Ag amal gywrain bwyth
Yn rhoddi ei gorff ynglŷn
Wrth ei alarus lwyth.

Gwae'r dwylo gynt fu gain!
Gan loes eu trymwaith trist
Dolurus ydyw'r rhain,
Creithiog fel dwylo Crist.

A gwae'r frenhines hon
O'i chystudd yn ei chaer
A enfyn dros y don
Isel ochenaid chwaer.

Heddiw ar drothwy'r ddôr
I'r wybr y rhoddir ef;
I siawns amheus y môr,
A'r ddi-ail-gynnig nef.

Pa fore o farrug oer?
Pa dyner hwyr yw hi?
Neu nos pan luchia'r lloer
Wreichion y sêr di-ri?

Ni rydd na haul na sêr
Oleuni ar ei lwybr,
Cans yn y plygain pêr
Y rhoddir ef i'r wybr.

Cyn dyfod colofn fwg
Y llys i'r awel sorth,
I ddwyn yr awr a ddwg
Y cigydd tua'r porth.

Ac eisoes, fel ystaen
Ar y ffurfafen faith,
Fe wêl y ffordd o'i flaen
A'i dwg i ben ei daith.

Ac megis môr o wydr
Y bydd y weilgi werdd
Cyn tyfu o'i gwta fydr
Yn faith, anfarwol gerdd.

Pan ddengys haul o'i gell
Binaclau'r ynys hon
Fel pyramidiau pell
Anghyfanedd-dra'r don.

Pan gyfyd, megis llef
Wedi distawrwydd hir,
Mynyddoedd yn y nef,
A thros y tonnau, tir.

A pha hyd bynnag bu
Ei annaearol daith,
Yn y diddymdra fry
A thros y morlas maith,

Dyfod i'r tir a wnaeth,
A chylchu uwch y fan
Lle llifa'r môr di-draeth
Yn afon rhwng dwy lan.

Yno o'r lliaws mân
Chwilio y mae am un, –
Yr enaid ar wahân,
Y duw ar ddelw dyn –

Nes canfod yng Nghaer Saint,
Yng nghanol gwyrda'r fro,
Ŵr o ddifesur faint
Yn dadlau iddo dro.

Ac ar ei ysgwydd ef
Y disgyn oddi fry
Fel anfonedig nef,
A garwhau ei blu.

O'i flin adenydd daw
Yn dristaf fu erioed
Y llythyr dan ei llaw:
A'i ddarllen yn ddi-oed.

Y drudwy dewr ei hun
Atega ddagrau taer
Ac ocheneidiau'r fun
O gegin y bell gaer.

A chlod ei gamp a'i gerdd
Hyd gyrrau'r ddaear faith;
Ei siwrnai o'r Ynys Werdd,
A'r modd y dysgodd iaith.

IV

Y chwedl nid edrydd ddim
Dynged y deryn pur;

Ai dychwel eto'n chwim,
Ai gostwng dan ei gur

Fu iddo'n wael ei wedd;
Ai Brân ei hun a ddaeth
Ac a wnaeth iddo fedd
Petryal ar y traeth,

Ai byrddio llong o'r llu,
A chyrchu'n iach ei nwyf
Yr Ynys Werdd i su
Rhyfelwyr wrth y rhwyf.

Yntau i gadw gŵyl
Yn gwatwar cerddi'r tir;
Dynwared yn yr hwyl
Ac ar yr hwylbren hir

Yr adar oll ar hwrdd
Â llawer pill o'i stôr:
Y bronfraith ar y bwrdd,
Y mwyalch yn y môr.

A chrechwen yna y mae
Y llongwyr ar y lli',
Fel petai'r byd heb wae
Na dwyfol drasiedi.

Y Steddfod Ddoe a Heddiw

'Does neb yn nhref Caernarfon –
Os oes, Anthropos yw –
A gofia Owain Gwyrfai
Yn y 'Queen Bach' yn byw;
A gofia Geiriog ifanc
Yn dilyn yr hen Dal
Trwy borth 'Tywysog Cymru'
Heb ofn i neb ei ddal.

Aeth heibio'r hen amseroedd
Pan yfai'r beirdd fel pysg.
Daeth crefydd i'r Eisteddfod
A chyda chrefydd, ddysg.
Ar ôl yr hen genhedlaeth
A wnâi ohoni ŵyl,
Daeth oes y Cymdeithasau
I dorri ar yr hwyl.

Y Steddfod aeth yn Seiat
Siaradwyr gwyllt a gwâr;
Ond mwyn yw myned iddi
O deyrnged i D.R.
Y Steddfod aeth yn Ysgol
Sabothol fwy na heb;
A da yw myned iddi
O barch i Ambrose Bebb.

Ac eto drwg yw gennyf
Na welais Edith Wynne
Yn wylo'r dagrau hynny
A greodd ddaear-gryn;
Y Llew oedd ar y llwyfan
Ni fedrai ruo'n awr
Mewn storom o ddistawrwydd
A ddaeth â'r tŷ i lawr.

Ple mae Garth y Glo?

(Canig Unodl)

Soniai fy nhad o dro i dro
Am ryw hen Fodryb Garth y Glo;
Ac y mae gennyf gynnar go'
Im fynd i'w gweled gydag o.
Bro Dewi Arfon oedd y fro.
Cawsai'r hen wreigan le dan do
Tyddynnwr gweddw i gludo'r glo
A'r llefrith; hi rôi lith i'w lo
A bwyd i'w fab. Ond bid a fo,
Fe fyn trigolion Cwm y Glo,
A gwŷr y Clegyr uwch na fo,
Na bu'r fath le â Garth y Glo.
Eto buom yno'n dau, O do.
'Fy hen gydymaith diddan, rho
Wybod ym mhle mae Garth y Glo
Cyn 'r elo Ffydd ei hun ar ffo.' –
Ni chofia ac ni falia efô.